Corimbo

© 2014, Editorial Corimbo por la edición en español
Av. Pla del Vent 56, 08970 Sant Joan Despí, Barcelona

Traducción al español de Macarena Salas

1ª edición octubre 2014
Publicado originalmente en EE.UU por Sterling Publishing Co.,
Título de la edición original: "TIME FOR A HUG"
Copyright del texto © 2012 Phillis Gershator & Mim Green
Copyright de las ilustraciones © 2012 David Walker

Este libro ha sido negociado a través de la Agencia Literaria Ute Körner, S.L.U., Barcelona

Impreso en Impuls45 S.L.
Depósito legal: DL B. 20182-2014
ISBN: 978-84-8470-501-7

ABRAZOS para Ti

Phillis Gershator y Mim Green

ilustardo por David Walker

Corimbo

¡Abre los ojitos
que va a amanecer!

Mira, son las ocho.

¿Qué tienes que hacer?

Lavarte la cara,
cepillarte el pelo,

elegir la ropa
que te pondrás luego.

Un vaso de leche,
terminas tu plato.

¿Sabes qué hora es?

¡Hora de un abrazo!

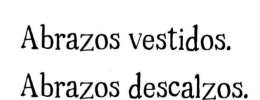

Abrazos vestidos.
Abrazos descalzos.

Abrazos
a las nueve.

Abrazos
a las diez.

Las once, las doce.
No para de llover.

¿Qué vamos a hacer?
¡Quieres un pastel!

Hacemos muñecos,
les pintamos rayas.

Hacemos ciudades
con grandes murallas.

Leemos un libro.

Te sientes mimoso.

¿Sabes lo que quieres?

¡Abrazos de oso!

Abrazos por aquí.
Abrazos por allá.

Abrazos para ti.
¡El sol se va a asomar!

Ahora es la una.
¡El sol ya se ve!

Las dos y las tres.
¿Qué quieres hacer?

Botas la pelota,

vas en bicicleta,

subes a una rama,

quieres buscar fresas.   Hueles una flor,

corres sin reposo.

¿Sabes lo que quieres?

¡Abrazos de oso!

Las cuatro, las cinco,
ya llegan las seis.
Las siete y las ocho,
¡a casa después!

Salen las estrellas,
la luna también.
Cuando dan las ocho,
¿qué tienes que hacer?

Meterte en el baño.
Lavarte los dientes.

Correr a la cama
con tu oso de juguete.

Ya mamá te arropa.
Tú sacas los brazos.

¿Sabes lo que quieres?

¡Quieres un abrazo!

Abrazos de oso,
abrazos pequeños,
abrazos que dicen

¡CUÁNTO TE QUIERO!

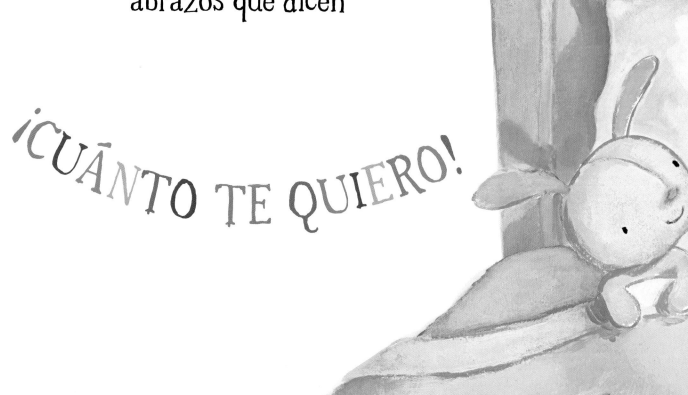

9 2 6 5 11 9

10 3 4

6 11

6

8 5 10 2 7 3

11

9 4 10

11 3 8

6